Le trésor
du roi qui dort

Anne Didier est née en 1969. Elle a enseigné le français dans l'Oise et un peu en Afrique. Ce qui lui tenait à cœur, dans ce métier, c'était surtout de donner aux élèves l'envie d'écrire des histoires. Après la naissance de ses deux garçons, Antoine et Adrien, elle s'est décidée à écrire elle aussi… pour les enfants.

Du même auteur dans Bayard Poche :
Les apprentis sorciers (Mes premiers J'aime lire)
Classe verte sur planète bleue (J'aime lire)

 Aurélie Guillerey s'est installée à Rennes après un diplôme d'illustration à Strasbourg en 1999. Depuis, elle travaille pour la presse et l'édition pour enfants, ainsi que pour la communication de théâtres jeunes publics. Elle aime par-dessus tout expérimenter de nouvelles techniques de peinture, bricoler dans son atelier et, le mercredi, patouiller avec l'aide de son petit garçon.

Deuxième édition

© 2006, Bayard Éditions Jeunesse
© 2003, magazine *Mes premiers J'aime lire*
Tous les droits réservés. Reproduction, même partielle, interdite.
Dépôt légal : septembre 2006
ISBN : 978-2-7470-1956-9
Loi du 16 juillet 1949 sur les publications destinées à la jeunesse.

Le trésor du roi qui dort

Une histoire écrite par Anne Didier
illustrée par Aurélie Guillerey

mes premiers
j'aime lire
BAYARD POCHE

Chapitre 1

Le message secret

Le mercredi après-midi, Mathilde et Julien se retrouvent à la bibliothèque. C'est là qu'ils font leurs devoirs. Aujourd'hui, ils doivent rechercher une histoire qui s'est réellement passée dans leur ville.

La bibliothécaire a donné à Julien un gros livre plein de photos, et à Mathilde une très vieille collection de journaux de la ville. Ils se sont installés dans la salle de lecture pour les feuilleter.

Soudain, Julien s'écrie :

– Regarde ! Dans la marge de mon livre, quelqu' un a écrit une sorte de poème.

Mathilde s'approche et lit à voix haute :

Près du bassin,
Cent pas au nord
Du grand sapin,
Un roi qui dort
Garde mon trésor.

Mathilde s'étonne :

– C'est très bizarre ! Qu'est-ce que ça veut dire ?

– Oh ! C'est juste une poésie, répond Julien.

Mathilde chuchote :

– À mon avis, c'est plutôt un message secret. Regarde ce qui est écrit tout en bas.

Julien lit alors : Voir page 120

À la page 120, les enfants découvrent une photo du jardin public de la ville.

Julien s'exclame :

– Le bassin et le sapin doivent être dans le jardin !

Mathilde est tout excitée. Elle dit :

– Alors, le trésor du roi qui dort doit y être aussi... Chic ! J'adore les chasses au trésor !

Mathilde recopie soigneusement le poème sur une feuille. Elle glisse la feuille dans sa poche, et les deux enfants sortent de la bibliothèque.

Chapitre 2

La chasse au trésor

Sur un banc du jardin public, Mathilde
déplie la petite feuille et commence la
lecture :

– Près du bassin, sous le grand sapin…
Elle s'interrompt :

– Zut ! Il y a au moins trois bassins dans
ce parc.

Julien la rassure :

– Il y a sûrement un seul grand sapin !

Les deux enfants prennent un sentier, et ils font le tour des trois bassins. Mais ils ne trouvent pas de grand sapin.

Julien soupire :

– On est en train de perdre notre temps !

Mathilde est songeuse :

– Tu ne crois pas que ce sapin a pu exister autrefois et qu'il n'est plus là ?

Julien regarde Mathilde, les yeux brillants :

– Mais bien sûr ! Il a pu être coupé, tout simplement ! Il faudrait poser la question à quelqu'un qui connaît très bien ce jardin.

– On pourrait demander à ce vieux monsieur, là-bas, propose Mathilde.

Installé sur un banc, un vieux monsieur lance du pain aux pigeons. Quand Mathilde et Julien le questionnent, il sourit :

– Le grand sapin ? Il est tombé lors d'une tempête. Il a été remplacé par ce buisson maigrichon que vous voyez là-bas.

Les enfants remercient le monsieur et s'élancent vers le buisson. Mathilde récite :

– « Cent pas au nord du grand sapin. » Tu es sûr que c'est par là, le nord, Julien ? Je ne vois rien qui ressemble à un roi ! Oh, on n'y arrivera jamais !

Les deux enfants se dirigent vers l'une des sorties du jardin public. C'est alors qu'ils remarquent deux lions en pierre qui décorent la porte du jardin.

Julien dit :

– Le lion, c'est bien le roi des animaux ?

Mathilde réfléchit :

– Le roi du poème serait donc le lion ? C'est possible ! Mais pourquoi y a-t-il deux lions ?

Chapitre 3

Une drôle de découverte

Mathilde s'approche. Elle examine les deux statues et elle pousse un cri :

– Hé ! Ces lions ne sont pas tout à fait pareils... Celui-là a les yeux fermés ! C'est lui, le roi qui dort !

Julien grimpe aussitôt sur le mur pour examiner le lion en pierre.

Mathilde monte à son tour et, en tâton-
nant, elle découvre une petite cavité entre
les pattes du lion. Elle glisse sa main dans
le trou. Elle se relève en brandissant une
boîte en métal à moitié rouillée.

Mathilde ouvre la boîte et en fait l'inven-
taire :

– Trois perles, un bracelet de coquillages,
des vieilles plumes, une petite poupée de
chiffon et un carnet enfermé dans un sac
en plastique.

Mathilde est déçue. Elle soupire :

– Tu parles d'un trésor !

Julien ouvre le sac pour prendre le carnet. Il lit la première page :

1er juillet 1979

Je m'appelle Marie-Louise Pépin. J'habite 7, rue du Parc. Aujourd'hui, j'ai 8 ans, et je mets ce trésor dans une très bonne cachette.

Bravo à celui qui le retrouvera ! Je serais très contente qu'il me le rapporte, même si c'est après l'an 2000 !

Julien propose :
– Allons rendre la boîte à cette Marie-Louise. Ça lui fera plaisir. La rue du Parc est juste à côté !

Julien et Mathilde sortent du jardin. Ils prennent la rue du Parc, et ils sonnent au numéro 7. Une dame aux cheveux gris vient leur ouvrir.

Les enfants expliquent :

– Nous cherchons Marie-Louise Pépin.

La dame secoue la tête :

– Marie-Louise ! Mais cela fait plusieurs années que ma fille n'habite plus ici… Et puis, elle s'est mariée. Elle s'appelle Marie-Louise Marelle, maintenant. Et elle habite rue des Pommiers.

– Marie-Louise Marelle… Mais c'est la maîtresse ! s'écrie Julien.

– Ça alors ! murmure Mathilde en faisant les yeux ronds.

Chapitre 4

Chacun son tour

Jeudi matin, la maîtresse ramasse les devoirs de ses élèves. Quand elle arrive devant Mathilde et Julien, elle s'arrête et demande :

– Où est votre travail ? Et que fait ce paquet sur votre table ?

Mathilde explique :

– Notre devoir est dans ce paquet.

Julien ajoute :

– Nous avons apporté, en plus, un objet qui fait partie de l'histoire. C'est une sorte de preuve. Et c'est aussi un cadeau pour vous.

Un peu intriguée, la maîtresse ouvre le paquet. Elle devient toute pâle, puis toute rose, en reconnaissant sa boîte à trésors.

Elle murmure avec émotion :

– Comment est-ce possible ?

Pendant toute la matinée, elle est si tourneboulée qu'elle se trompe dans trois additions et oublie plusieurs « s » en corrigeant la dictée.

Le lendemain, quand la maîtresse rend les devoirs, Mathilde et Julien ont « 10 sur 10 ». C'est la meilleure note ! Et, en plus, sur la feuille, la maîtresse a écrit, de sa belle écriture ronde :

« BRAVO ! Bravo pour cette histoire si touchante et tellement inattendue ! »

Le samedi après-midi, Mathilde et Julien se retrouvent au jardin public. Mathilde a trouvé une jolie boîte, qu'elle a remplie de leurs trésors secrets. Julien, lui, connaît une cachette formidable, dans un trou, derrière la cascade.

Car, c'est décidé : eux aussi vont déposer leur boîte à trésors pour les générations futures !

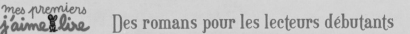

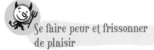 **Des romans pour les lecteurs débutants**

Édition

 Se faire peur et frissonner
de plaisir

 Réfléchir et comprendre
la vie de tous les jours

 Rêver et voyager
dans des univers fabuleux

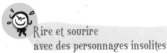 Rire et sourire
avec des personnages insolites

 Se lancer dans des aventures
pleines de rebondissements

© Eric Gasté

Presse

Mes premiers J'aime lire, un magazine **spécialement conçu pour accompagner les enfants du CP et du CE1** dans leur apprentissage de la lecture

Un rendez-vous mensuel avec **plusieurs formes et niveaux de lecture :**

- une histoire courte
- un vrai petit roman illustré inédit
- des jeux et la BD Martin Matin

Avec un **CD audio** pour faciliter l'entrée dans l'écrit.

Chaque mois, les **progrès de lecture de l'enfant sont valorisés**, du déchiffrage d'une consigne de jeux à la fierté de lire son premier roman tout seul.

Réalisé en collaboration avec des orthophonistes et des enseignants.

Pour en savoir plus : www.mespremiersjaimelire.com

Presse

Le magazine *J'aime lire* accompagne les enfants dans des **grands moments de lecture**

Une année de *J'aime lire*, c'est :

- 12 romans de genres toujours différents : vie quotidienne, merveilleux, énigme...

- Des romans créés pour des enfants d'aujourd'hui par les meilleurs auteurs et illustrateurs jeunesse.

- Un confort de lecture très étudié pour faciliter l'entrée dans l'écrit : place de l'illustration, longueur du roman, structuration par chapitres, typographie adaptée aux jeunes lecteurs.

Chaque mois : un roman illustré inédit, 16 pages de BD, et des jeux pour découvrir le plaisir de jouer avec les mots.

Achevé d'imprimer en mai 2007 par Oberthur Graphique
35000 RENNES – N° Impression : 7737
Imprimé en France